¿Puedes ver la araña?

Broad, Michael
    Gato Asustadizo y Buu / Michael Broad ; traductor Diana
Esperanza Gómez ; ilustraciones Michael Broad. -- Editor Javier
R. Mahecha López. -- Bogotá : Panamericana Editorial, 2008.
    24 p. : il. ; 25 cm. -- (Historias de animales)
    ISBN 978-958-30-3031-4
    1. Cuentos infantiles ingleses 2. Animales - Cuentos infantiles
I. Gómez, Diana Esperanza, tr. II. Mahecha López, Javier R., ed. III. Tít. IV. Serie.
I823.91 cd 21 ed.
A1171855

CEP-Banco de la República-Biblioteca Luis Ángel Arango

Editor
Panamericana Editorial Ltda.

Dirección editorial
Conrado Zuluaga

Edición
Javier R. Mahecha López

Traducción
Diana Esperanza Gómez

Ilustraciones y textos
Michael Broad

Título original: *Scaredy Cat and Boo*

Primera edición en Hodder Children's Books, 2007
Primera edición en Panamericana Editorial Ltda., septiembre de 2008

© Hodder Children's Books
338 Euston Road, London NW1 3BH
© Panamericana Editorial Ltda.
Calle 12 No. 34-20. Tels.: (57 1) 3603077 – 2770100
Fax: (57 1) 2373805
Correo electrónico: panaedit@panamericana.com.co
www.panamericanaeditorial.com
Bogotá, D.C., Colombia

ISBN: 978-958-30-3031-4

Impreso por Panamericana Formas e Impresos S.A.
Calle 65 No. 95-28, Tels: (57 1) 4302110 – 4300355, Fax: (57 1) 2763008
Bogotá, D.C., Colombia

Quien sólo actúa como impresor.

Impreso en Colombia   Printed in Colombia

GATO ASUSTADIZO y BUU

Michael
Broad

Para Sharon (miau)

PANAMERICANA
EDITORIAL

Gato Asustadizo
estaba aterrado.

No le gustaba quedarse solo en casa.
El crujir del piso lo ponía a

temblar...

Su sombra en la pared le hacía

llorar de miedo...

y los rincones sin luz le parecían
terriblemente oscuros y horriblemente

tenebrosos.

2

Gato Asustadizo ensayó ronroneando
una canción alegre para alejar el temor...

pero no funcionó. Continuaba
escuchando ruidos por todas partes.
Oía gemidos, a veces quejidos, pero
siempre acompañados de fuertes...

¡TOC! ¡TOC! ¡TOC!

en la ventana.

"Miau", chilló Gato Asustadizo. "¡Es el monstruo del jardín!"

Corrió a esconderse en el cuarto de ropas, pero estaba MUY oscuro.

Fue hacia la habitación, pero estaba llena de criaturas extrañas.

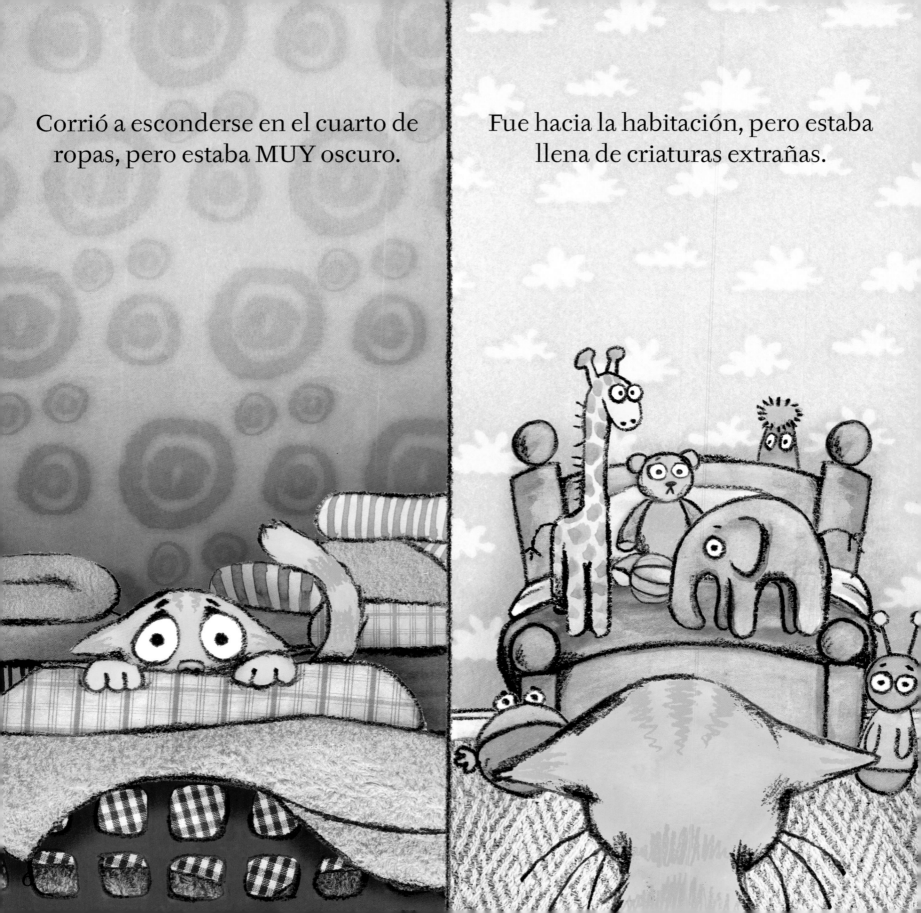

Finalmente,
intentó en el baño.
DEFINITIVAMENTE
¡no funcionó!

"Miau", lloriqueó Gato Asustadizo,
y corrió hacia su canasto donde se
escondió bajo la suave y cálida
cobija lanuda.
"Mucho mejor", pensó,
CUANDO...

"¡BUU!"

gritó una voz
chillona cerca de él.

Gato Asustadizo miró hacia abajo desde el
techo y vio a un pequeño ratón que le sonreía.
"¡Soy Buu!" le dijo el ratón con alegría.
"¿Quieres salir al jardín a jugar?"
"N-no g-gracias", tartamudeó Gato Asustadizo.
"¡Hay un MONSTRUO allá afuera!"

9

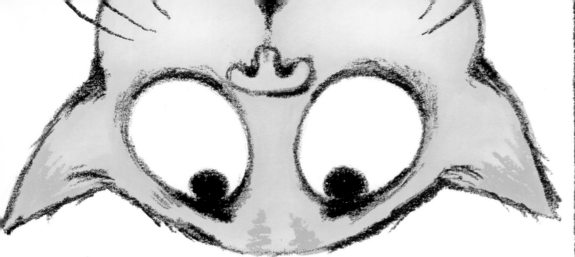

"Yo juego en el jardín y
nunca he visto un monstruo",
dijo Buu, riendo.
"¿Podrías mostrármelo?"

Castañeando sus dientes,
Gato Asustadizo llevó a Buu al
sitio donde estaba la sombra del
MONSTRUO.
Gemía y se quejaba
y golpeaba ¡TOC!
¡TOC!
¡TOC!

en la ventana.

"Ese no es un monstruo", sonrió Buu, levantando la portezuela y corriendo hacia el jardín. "Es un árbol bajo el cual te puedes sentar cuando hace mucho calor, también lo puedes escalar, los árboles son maravillosos".

11

Gato Asustadizo se asomó al jardín y se dio
cuenta de que esa cosa grande con muchos brazos
ya no se parecía a un monstruo. De hecho, podía
verlo claramente, y parecía algo interesante
para escalar.

Vio a Buu sonreír mientras le esperaba
al otro lado de la portezuela.
Respiró profundamente, cerró sus ojos
tan fuerte como pudo y colocó una de
sus temblorosas patas por fuera,

luego otra,

luego otra,

luego otra...

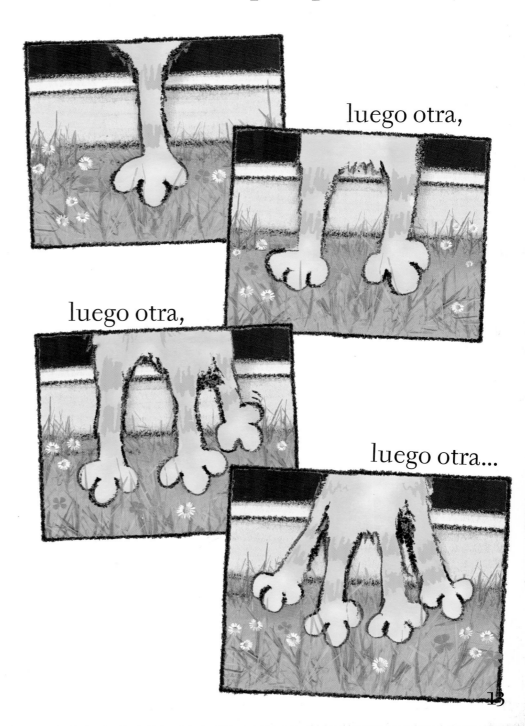

¡Gato Asustadizo estaba afuera!
Abrió sus ojos y observó
a su alrededor.

El jardín era maravilloso.

Pero antes de que Gato Asustadizo
pudiese observarlo por completo,
una mariposa se posó sobre su nariz.

"Me está atacando", lloriqueó,
tratando de alejarla con sus patas.

"Es una mariposa", le explicó Buu.
"Ellas no te lastiman y es muy
divertido perseguirlas".

Luego, un gorrión que descendía en picada
aterrizó sobre la cabeza de Gato Asustadizo.

"AYÚDAME", aulló Gato Asustadizo
abrazando su cola
para sentirse mejor.
"Es un pájaro", le dijo Buu.
"Canta canciones muy graciosas".

Gato Asustadizo caminó hacia atrás y se cayó
entre las flores cuando el gorrión alzó el vuelo.

18

"Amigo", le dijo Buu sonriendo,
"¡es un lugar seguro!
y ya es hora de salir a jugar".
Gato Asustadizo miró a Buu y,
finalmente, sonrió también.

Gato Asustadizo y Buu jugaron
al escondite entre las flores.

Luego persiguieron mariposas y bailaron
mientras los pájaros cantaban.

Incluso escalaron el
ÁRBOL MONSTRUOSO, que fue
lo más gracioso que hicieron porque
a Gato le daba un poco de TEMOR...

y Asustadizo descubrió que podía ser un
GATO VALIENTE si se lo proponía.

Y el pequeño Gato Asustadizo VALIENTE
también pudo asustar a su mejor amigo...

¡BUU!